愛打岔的小雞

愛打岔的小雞

文·圖／大衛·艾哲拉·史坦

翻譯／宋珮

三之三文化

小紅雞要上床睡覺了。

「我的寶貝，」爸爸說：「準備好了嗎？」

「爸爸，準備好了！

可是你忘了一件事。」

「什麼事？」爸爸問。

「睡前故事啊！」

「好，」爸爸說：「我來唸一個你喜歡的故事。
不過今晚你不會打岔，對不對？」
「不會，爸爸，我會很乖。」

糖果屋
H&G

韓瑟和葛麗特肚子好餓。他們在樹林深處發現一間用糖
果做成的房子。啃啊、啃啊！他們開始吃房子，這時住在
房子裡的老婆婆出來了，對他們說：「好可愛的小孩！你
們怎麼不進來呢？」他們正要跟著婆婆進屋，這時——

一隻小紅雞跳出來，對他們說：
「不要進去！她是巫婆！」

所以韓琴和葛麗特就沒有進去。故事結束！

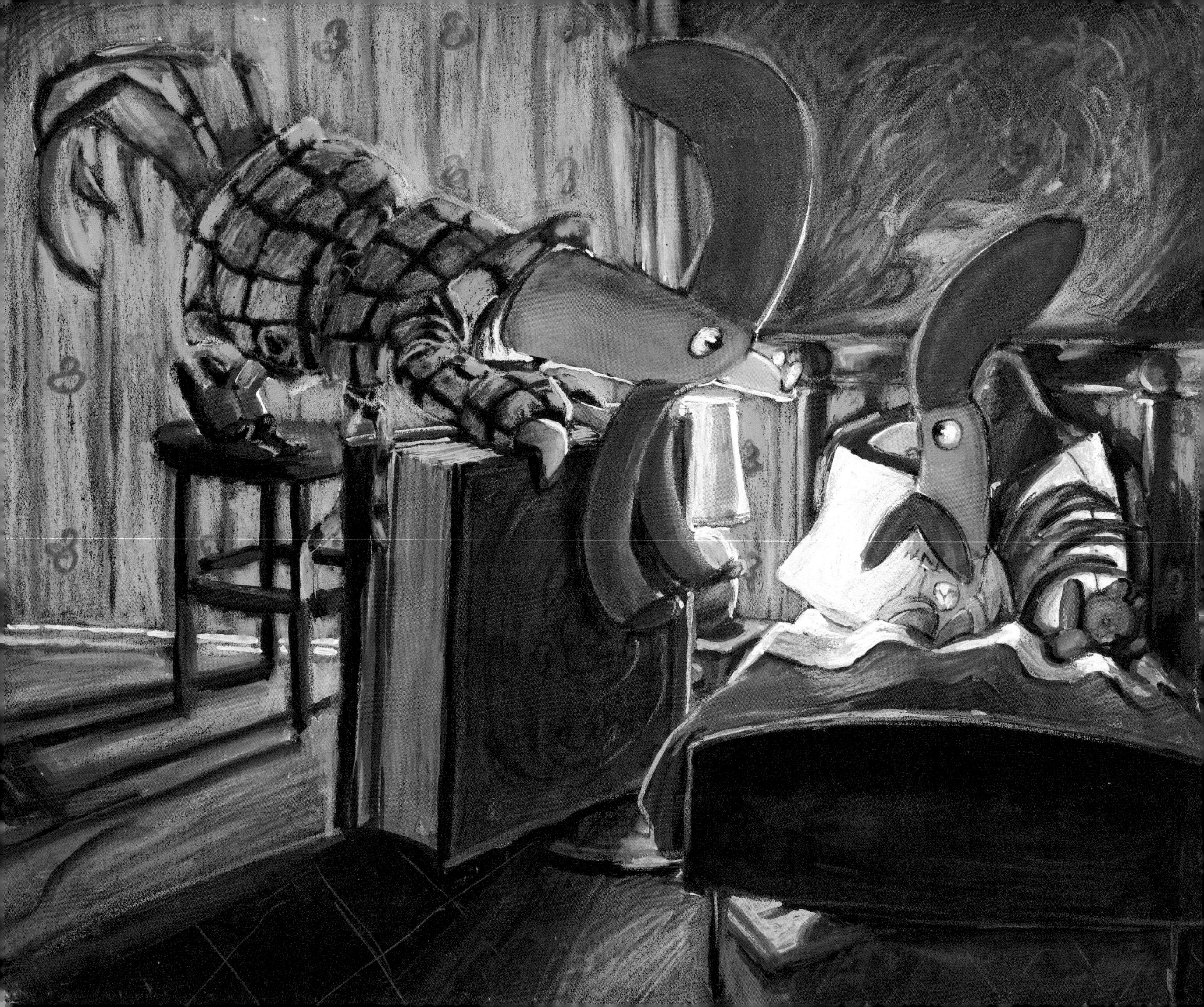

「小雞，」

「什麼事，爸爸？」

「你打斷了故事。不要這麼興奮好不好？」

「對不起，爸爸。但是她真的是巫婆。」

「可是你應該要放輕鬆，這樣才會睡著。」

「我們再講另外一個故事，這次我會乖乖的！」

小紅帽
L.R.R.H.

「帶這籃好吃的東西去看外婆，」小紅帽的媽媽說：
「但是不要走小路，森林裡很危險。」小紅帽蹦蹦
跳跳的走進森林。不久，她遇到一隻狼向她說：
「早安。」她正要跟狼說話，這時——

一隻小紅雞跳出來，她說：
「不要和陌生人講話！」

所以小紅帽就沒有跟狼說話。故事結束！

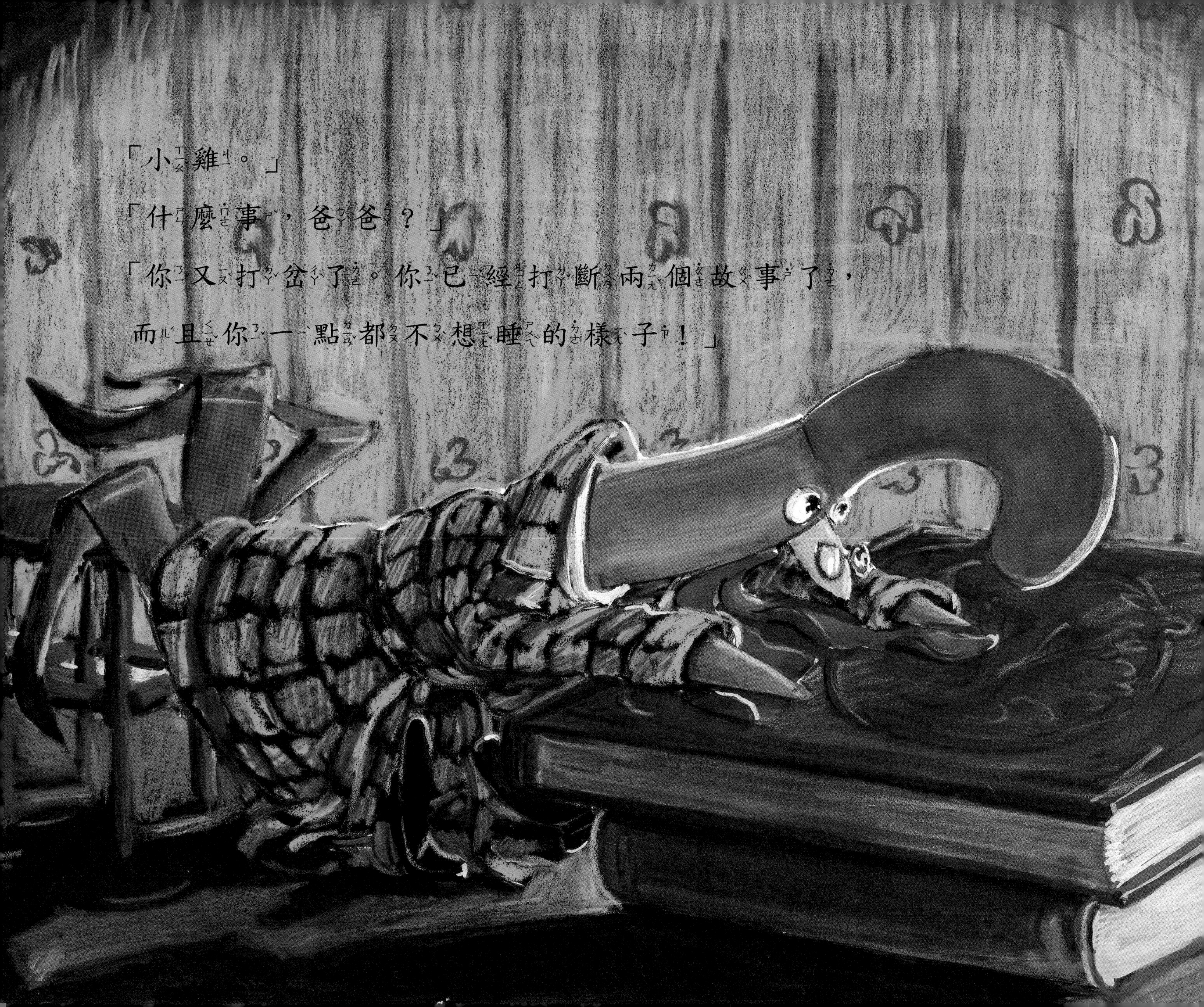
「小雞。」
「什麼事，爸爸？」
「你又打岔了。你已經打斷兩個故事了，
而且你一點都不想睡的樣子！」

「我知道，爸爸！對不起。但是牠是一隻大壞狼。」

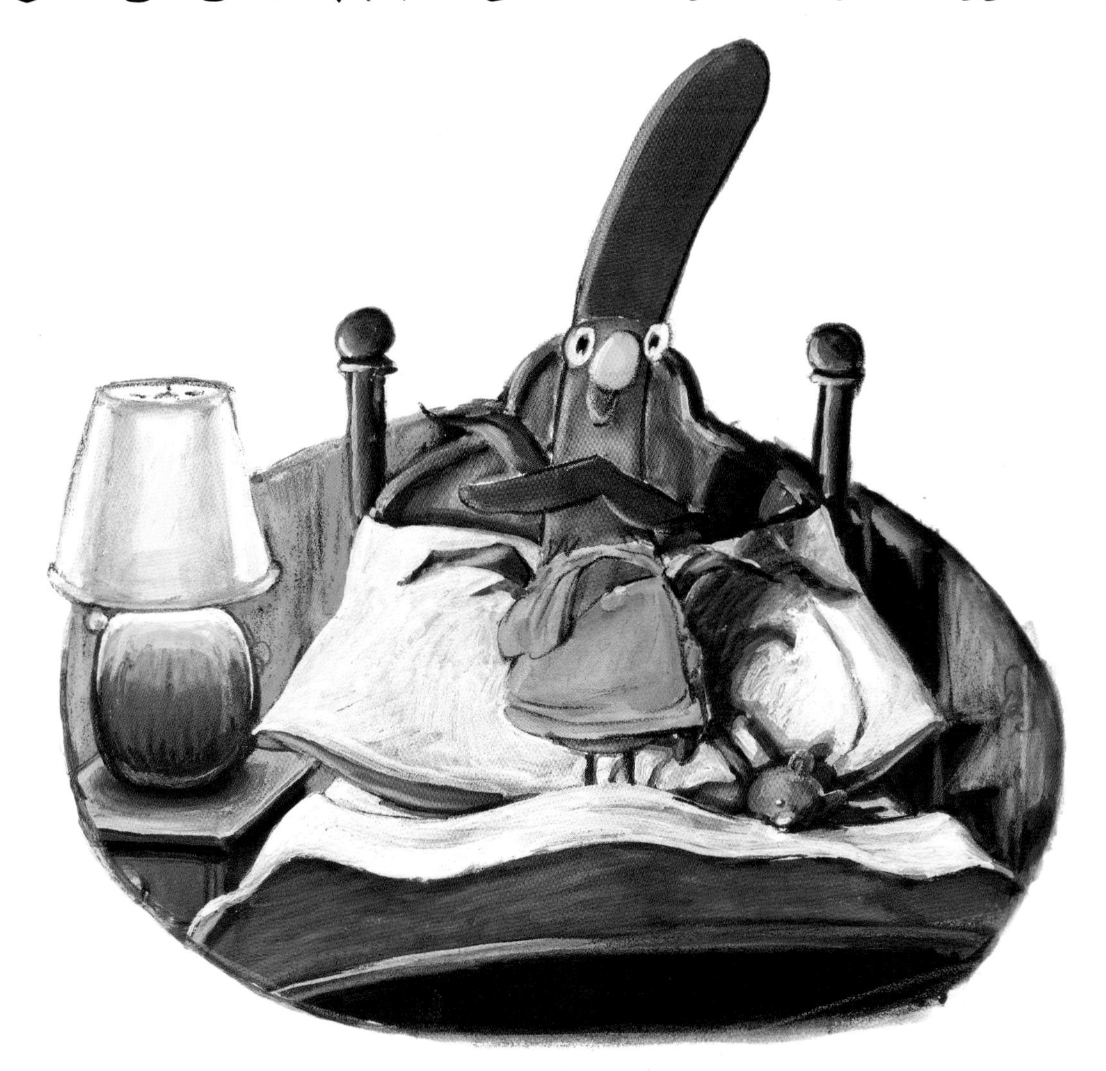

「沒錯，現在回床上去。」

「好的，爸爸。我們再講一個小故事好不好，我會乖乖的！」

憂天小雞
C. L.

憂天小雞被橡樹子打到了頭。她想：天要塌了！。
她正要跑去警告母鵝露西、鴨子福蒂、母雞潘妮，還有
農場裡所有的動物，告訴他們：「天要塌了！」這時——

一隻小紅雞跳出來，她說：「不要驚慌！只不過是一顆橡樹子！」

所以一聽到天小雞就不驚慌了。故事結束！

「小雞。」

「什麼事，爸爸？」

「你又打岔了。」

「喔，爸爸。我不能讓那隻小雞為了一顆橡樹子那麼難過！
拜託再唸一個故事，我保證會睡著。」

「可是，小雞，」爸爸說：「我們沒有故事可以說了。」

「喔，糟糕！爸爸。不聽故事我睡不著！」

「那麼，」

爸爸一邊說，一邊打哈欠，

「不然換你說個故事給我聽？」

「我來說故事？」小紅雞說：

「好，爸爸！我要說了！嗯……」

PAPA

爸爸的
睡前故事
作者：
小羅
1 2 3

從前有隻小紅雞，她哄爸爸睡
覺、她為爸爸唸了一百個故事、
她還給爸爸一杯熱牛奶，
但是都沒有用，爸爸
一直睜大眼睛，睡不——

呼

呼呼呼呼呼呼呼

「爸爸？」

呼

「晚安，爸爸。」

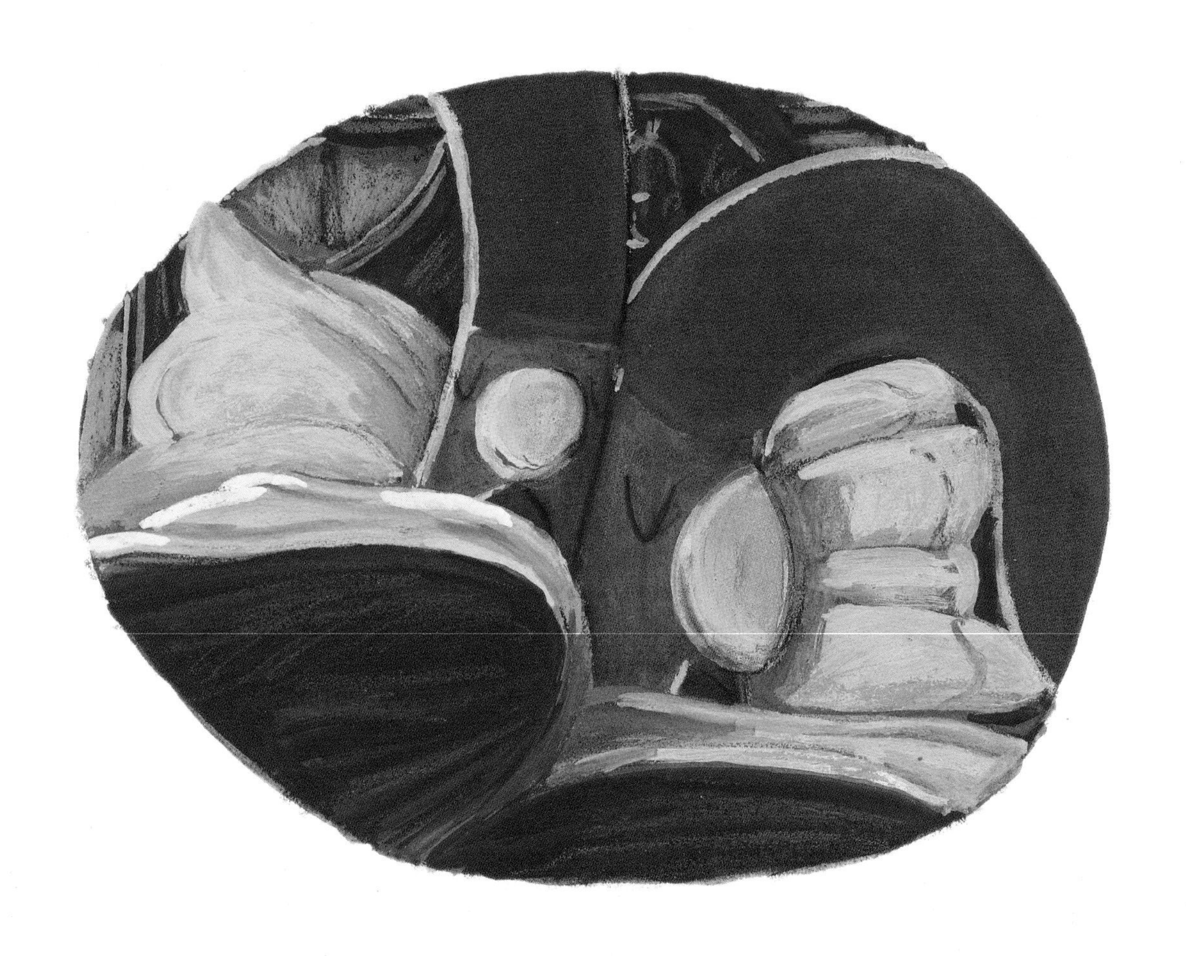

故事結束。

作繪者介紹

大衛・艾哲拉・史坦（David Ezra Stein）生於紐約，從小喜愛塗鴉、作白日夢、聽大人說故事，他說小時候，每當他聽故事的時候，彷彿感覺整個世界為他展開，因此他希望在自己的圖畫書裡也能創造這種奇妙的氛圍。從 Parsons 設計學院畢業後，史坦從事櫥窗設計、製作木偶、演木偶劇、繪製佈景等工作，並為《紐約人》雜誌畫漫畫，直到 2006 年創作了第一本圖畫書《牛仔奔得和安迪》。

他的作品可以參閱 www.davidezra.com 網站。

譯者介紹

宋珮

在金瓜石度過童年生活。念大學時發現了對藝術的興趣，進而到加州大學聖塔芭芭拉分校（U.C.S.B）攻讀藝術史。目前在中原大學及宇宙光關懷中心開設藝術欣賞、圖畫書作品欣賞課程，試著運用圖畫書引人認識藝術作品及藝術家，進而享受藝術中蘊藏豐富的心靈世界。

著作有《寫生冊頁》，翻譯作品有《米爺爺學認字》、《沒有人喜歡我》、《錫森林》、《藏起來的房子》、《多多的大麻煩》、《星空下的舞會》、《兩隻壞螞蟻》、《好好愛阿迪》、《用愛心說實話》、《嘟嘟和巴豆》等數十本圖畫書。

獻給 Bibi

愛打岔的小雞

文・圖／大衛・艾哲拉・史坦
翻譯／宋珮
發行人／吳文宗
執行長／葛惠
總編輯／林培齡
編輯顧問／王妙如
美術編輯／賴盈媜
國際版權／林清雲
出版者／三之三文化事業股份有限公司
地址／11678台北市羅斯福路5段218巷4號1樓
電話／（02）2930-6999
傳真／（02）2930-1712
劃撥帳號／17028308
網址／www.3-3edu.com.tw
E-mail／cs33iei@ms37.hinet.net
新聞局登記證／局版台業字第5796號
出版日期／2011年12月
ISBN 978-986-7295-83-5　定價／270元